JN316703

SAMIRO YUNOKI STYLE & ARCHIVES

柚木沙弥郎

92年分の色とかたち

CONTENTS
目次

INTRODUCTION

はじめに

嬉しくなくちゃ、つまらない。

戦後まもなく、柳宗悦が提唱する「民藝」と出会い、
後に人間国宝となる染色工芸家、芹沢銈介に師事。
20代半ばにして、染色家としての道を歩み始めた柚木沙弥郎。

それから半世紀以上……。
日本における型染の第一人者として国際的な評価を得た後も、
その作家としての地位や民藝という範疇に安寧することなく、
型染という伝統の縦糸に、版画、ガラス絵、人形、絵本といった
新たな分野への挑戦を嬉々として横糸に織り交ぜながら、
柚木は自らのアート表現の地平を切り拓いてきました。
そして、またその飽くなき好奇心と果てることのない情熱は、
2014年10月に92歳の誕生日を迎えようという
現在も衰えることをしりません。

本書の制作にあたり、われわれはアーティスト柚木沙弥郎の
創作の源泉である、日常を約3年にわたり追いかけ続けました。
それは日々の何気ない暮らしにこそ、生きる喜びがあり、
本質的な美が存在すると、彼が教えてくれたからに他なりません。
柚木は言います。"嬉しくなくちゃ、つまらない"と。
人は何を大切に、どう生きるべきなのか？
そんな永遠の命題を真摯に、自由闊達に問い続ける
柚木沙弥郎の世界を、ひとりでも多くの人に知って頂けたなら、
こんなにも嬉しいことはありません。

編集者 柴田隆寛、熱田千鶴

CHAPTER-01

WORKS

作品紹介

「無題」2013 年

「いのちの旗じるし」2013年

「型染 Heads」1998年

「瓶」2013 年

2013年、世田谷美術館「柚木沙弥郎　いのちの旗じるし」展と本人。
「型染タペストリーI」（2005年）と鉄のオブジェ「虫の神さま」（2007年）はフランス国立ギメ東洋美術館に所蔵されている。

「春を待つ」1984 年

1960年代から、東京駒場の日本民藝館で毎年秋に催される「日本民藝館展」のポスターや懇意にしている民芸店の特別展のポスターなどを手がけていた。

東京・新宿区若松町にあるクラフトショップ〈備後屋〉の看板を手がけた。
ここでは団扇や布など、柚木のプロダクトを手に入れることができる。

手作りポスターは、1回につき20～30枚ほどしか制作されない貴重なもの。
これらは『柚木沙弥郎 型染ポスター集』(1998年　べにや民芸店刊)としてまとめられている。

昭和53年度
展示即売
日本民芸館展
11月1日−11月15日
月曜休館
10時−5時
ANNUAL EXHIBITION & SALE
OF NEWLY DESIGNED HANDI-
WORKS AT NIHON-MINGEIKAN
東京都目黒区駒場4丁目3-33
03(467)4527
日本民芸館

昭和五四年度
日本民芸館展
日本民芸館
11月(Nov.)1日−11月18日
10時−5時・月曜休館・展示即売
ANNUAL EXHIBITION
& SALE OF NEWLY
DESIGNED HANDI-
WORKS AT NIHON-
MINGEIKAN
東京都目黒区駒場4丁目3-33電(467)4527

40年度
11月(NOVEMBER)3日−25日
日本民芸館展
ANNUAL EXHIBITION & SALE
OF NEWLY DESIGNED
HANDIWORKS
AT NIHON MINGEI-KAN
日本民芸館
東京都目黒区駒場861

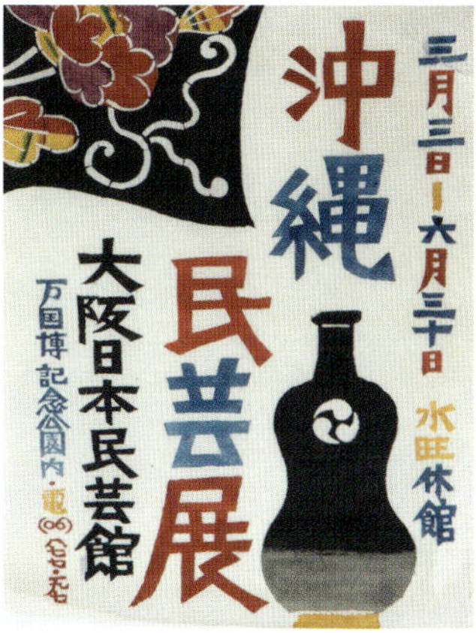

沖縄民芸展
三月三日−六月三十日
水曜休館
大阪日本民芸館
万国博記念公園内・電(06)

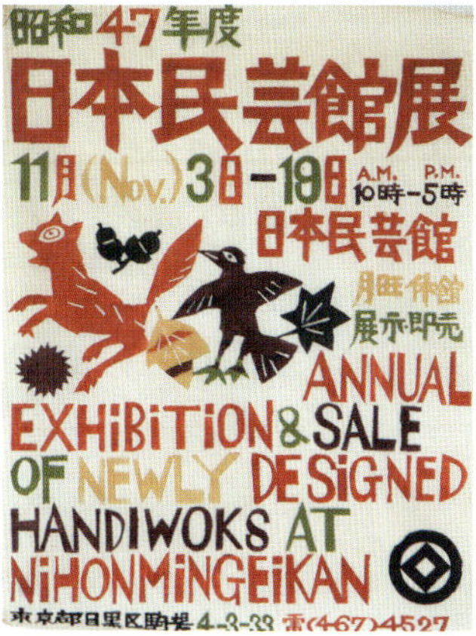

昭和47年度
日本民芸館展
11月(Nov.)3日−19日
A.M. 10時−P.M. 5時
日本民芸館
月曜休館
展示即売
ANNUAL
EXHIBITION & SALE
OF NEWLY DESIGNED
HANDIWOKS AT
NIHONMINGEIKAN
東京都目黒区駒場4-3-33 電(467)4527

昭和51年度
日本民芸館展
11月2日−11月12日
月曜休・10時−5時
日本民芸館
展示即売
ANNUAL EXHIBITION & SALE
OF NEWLY DESIGNED
HANDIWORKS AT NIHON-
MINGEIKAN
東京都目黒区駒場4-3-33
電話03(467)4527

1983年、版の工房「アトリエMMG」との出合いから、リトグラフィ、モノタイプ、ゴーフラージュ、カーボランダムなど、あらゆる版画の技法に挑戦した。

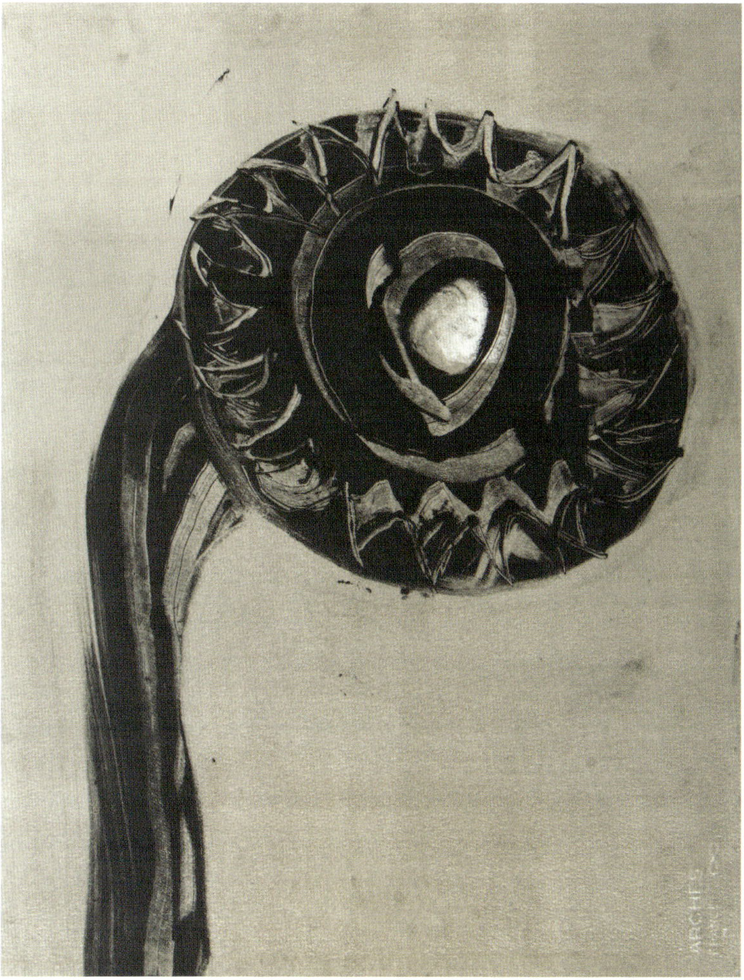

左ページ／「人」2007年（カーボランダム）、右ページ／「ひまわり」2013年（モノタイプ）

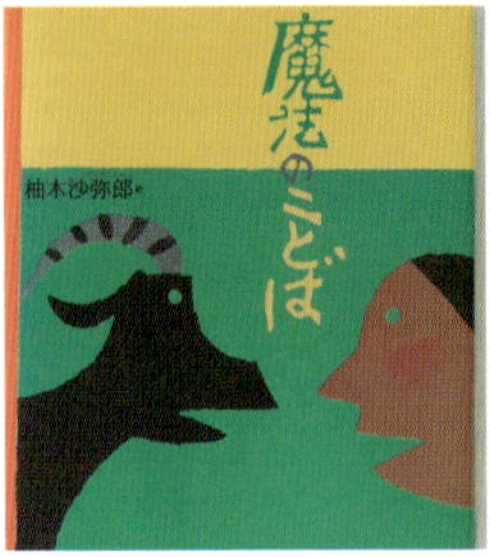

『魔法のことば』（1994年　CRAFT SPACE わ 刊）は、
イヌイットと呼ばれるカナダ北部など、氷雪地帯の先住民に伝わる口承詩。柚木の初めての絵本。

これまで手がけてきた絵本はどれもユニークなものばかり。
70代から絵本を始めたとは思えないほど、みずみずしい感性が光る。装丁も美しい。

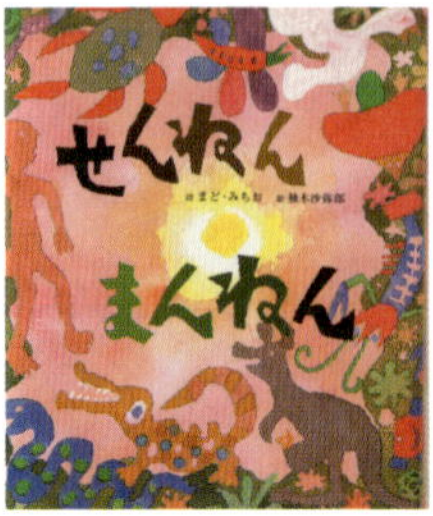

『せんねん まんねん』（まど・みちお詩　柚木沙弥郎絵　2008 年　理論社刊）

『トコとグーグーとキキ』（村山亜土作　柚木沙弥郎絵　2004年　福音館書店刊）

木綿の生地に型染し、和紙で裏打ちした染め絵の数々。1980 年代頃のもの。
インドの旅の思い出や日常のスケッチまでモチーフはさまざまだ。

IDÉE SHOP

2014年、〈イデーショップ〉日本橋店「布と暮らす」展と柚木沙弥郎。
左ページ／左から「青すじ黒すじ」「つながるまる」「まゆ玉」、右ページ／ともに「無題」。すべて2014年。

「犬」2013年　岩手県立美術館所蔵

「ポット」2013年　岩手県立美術館所蔵

染色から版画へと表現の域を超え、さまざまな版式を使いこなす。
1980年代から2007年までに400点を超える版の作品を制作した。

「はさみ」2014 年

「無題」2013 年

「びっくりマーク」2012年

「染布」2010 年

「シャベル」2014 年

「とうもろこし　みのる」2013年

「上棟式」2013 年　岩手県立美術館所蔵

「工事場」2013 年　岩手県立美術館所蔵

「とうもろこし（輪切り）〜歓喜」2012 年　岩手県立美術館所蔵

「とうもろこし〜記念日」2013年　岩手県立美術館所蔵

左ページ／「まゆ玉のうた」2013年。
右ページ／2013年、世田谷美術館「柚木沙弥郎　いのちの旗じるし」展と本人。「まゆ玉のうた」シリーズ展示の前で。

左ページ／丸太の木っ端に彩色した「材木のオブジェ」（2009 年）。
右ページ／独創的な佇まいの「指人形」（2007 年）シリーズ。数体はフランス国立ギメ東洋美術館に所蔵されている。

上／「北へ！」2007年（カーボランダム）
下／「無題」2003年（モノタイプ）

上／「孤独な荷車」2007年（カーボランダム）
下／「魔術師」2001年（リトグラフィ）

CHAPTER-02

STUDIO

作品が生まれる現場

左ページ／自宅のアトリエで絵を描き、型紙を作る。右／刀で模様を切り抜く型彫りを施す。
左／アトリエにはさまざまな画材があふれ、余った紙には細かいメモ書きが記されている。

60年近い協同制作から創出される柚木流型染

柚木沙弥郎が芹沢銈介のカレンダーに魅せられ、型染の世界を目指すようになったのは、1947年、25歳のとき。以来、70年近く、型染を続けている。当時勤務していた、倉敷の大原美術館を退職し、芹沢に弟子入りした柚木だが、芹沢からは「自分のような作家より、職人のところで始めるのが良い」と言われ、静岡県由比町の正雪紺屋に住み込んで、まず布の扱いや染の基本を見たという。

型染とは、日本の伝統的な染色技法の一つで、渋紙などを用いて型紙を作り、染めない部分を糊で防染しておいてから染める手法。型を一つの単位にして、連続して染めたり、複数染めたりすることができる。

柚木が型染を始めて9年後の1956年、34歳の柚木の元に16歳の中込理晴さんが助手として付くことになった。中込さんの父親が間接的に柚木を知っていたことから弟子入りをお願いしたという。通常、型染はデザインから染めまで1人でやることが多いが、芹沢のスタイルを受け継ぐ柚木は分業制。以後、柚木がデザインして型紙を作り、中込さんが染めるという協同作業が続いている。

都内にある中込さんの工房を訪ねると、天井には色とりどりの柚木の作品が5点ほど、室内の壁の端から端まで干してあった。「染色はすべて天候に左右されます。晴れて湿度の低い、からりとした日だと染まりもいい。

型の上下
赤
2枚

左ページ／2013～2014年に作られた作品「びっくりマーク」「シャベル」などの指示書。
左／中込さんの工房。ここで洗いの作業をする。右／指示書は昔のものから現代のものまで。

外で干せない場合はこうやって中に吊るして、乾燥させます」と語る中込さんは、現在73歳。柚木の専属の染め職人として従事して、60年近く経つ。中込さんの工房では、型紙に紗を張り、糊を置く型置き、染色、洗い、乾燥といった工程をこなす。展覧会に出品する作品から販売用のものまで、柚木が手がける染め布はすべて、中込さんの手を通り、この場所から生まれている。

今でこそ、自宅の一角に工房を構える中込さんだが、最初は毎日、柚木の自宅に通うことから始まった。当時は柚木の自宅内に工房が併設されていて、そこで一から学び、作業をしていたという。曰く、「ずっと一緒にやらせてもらっていたので、柚木先生が求める色の加減や微妙なニュアンスを汲み取ることは、その時にだいたい下地ができたと思います」

中込さんの工房には、柚木による細かい指示が書かれたノートが山積している。2人が共有する作品の、いわばレシピ集だ。そこには細かいスケッチとメモ書きで「ちょっと濃く」「まぶしくない程度に」といった大まかな指示から、布幅のセンチや染料のグラムといった細かい指示まで、びっしりと書き込まれている。「染料も陶芸の釉薬と似ていて、グラム単位で色が変わってくる。どんなに慣れても手加減ではできないんです」

だが、その指示書だけで誰もが柚木作品を作れるわけではなく、形にするための柚木の的確な指示と、中込さんの熟練の技、2人の長年の関係性によるものでしかなしえない。例えば、作品に多く見られる、「柚木レッド」と言われる赤。同じ赤でも柚木の好きな赤を中込さんはよく知っている。そのさじ加減を

左上／「はさみ」の制作。生地の上に型紙を置く。右上／色を入れない部分に防染の糊置きをする。糊はもち粉と米ぬかで作られている。左下／糊が乾いたら、刷毛で染料を一気に施す。右下／水で洗い、糊を完全に落とす。右ページ／最後は張り手と伸子（しんし）を使って干し、乾燥したら完成。型染は天気が第一。空気が悪いと色味が違ってしまうことがある。

上／天候条件が良い日は外で干す。
右ページ／このノートはすべてのやりとりが込められた柚木と中込さんを繋ぐもの。
60年近く経った今はあうんの呼吸でこなす。

正しく理解することも仕事の一つだ。

「先生の気に入る色は、長年やっているのでだいたいわかります。昔はかなり細かく指示が入っていましたが、最近はああだこうだ言われなくなりましたね（笑）」

だが中込さんの中では、いまだに柚木は厳しい"先生"であり緊張する存在。いつまでたっても心配しながらやっているという。「変な色にすると、すぐ注意されますから。この指示見てください。『先日の凧は黒すぎる、あまり黒くしない』と書いてあるでしょう。こういう細かい指示がいつも入っていて、夜中に心配で眠れないこともあるんです（笑）」

いつも狙うのは、柚木が目指す形のパーフェクト。けれども上手く行かなかったり、思った通り、きれいに染まらなかったりすることも多々あるという。「まあ、どんなにやってもこれで満足ということはないですから、ずっと気を抜けません」

布の注文が入ると、中込さんはまずノートを見ながら記憶をたどる。過去のアーカイブから作品と型紙を探すところから始まる。よく注文が入る商品は、型紙がすぐボロボロになるので作り直す。すべて1人でこなすから手間ひまも時間もかかる。けれども、どの工程も手は抜かないと決めている。

「どこかで手を抜くと必ず後から出てくる。先生はスケッチの段階からものすごい量を描いていますよね。僕が終日一緒にいたときから、食事時もおかまいなく、ずっと絵を描いていました。それは今も変わりません。手仕事でものを作るということは、すべてそういうことなのだと教わりました。機械じゃ絶対できないことですから」

30
25
125
125

CHAPTER-03

TRIP TO MATSUMOTO

作品のある風景を訪ねて〜松本編

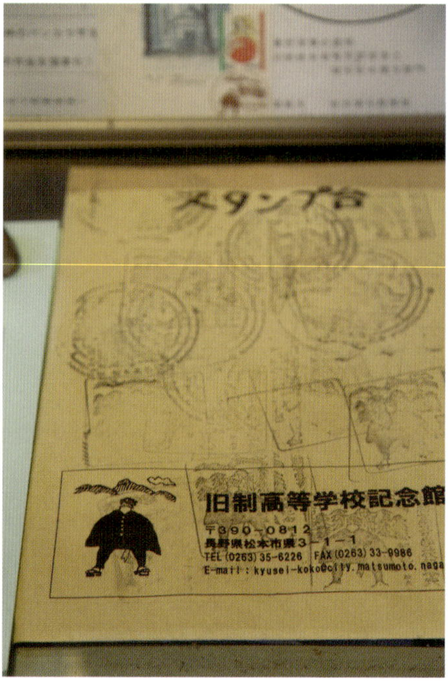

左／近代洋風建築のあがたの森文化会館（旧制松本高等学校校舎）は重要文化財指定。右／柚木作のマスコットがスタンプに。
右ページ／談話室の壁には、1993年の作品「青春群像」が飾られている。

生活に寄り添う柚木作品と一番多く出合える町

日本列島のほぼ中央に位置する長野県・松本市。西に北アルプス、東に美ヶ原高原を望む、風光明媚な観光地であり、国宝の松本城をはじめ、歴史的建造物が数多く残る文化の薫り高い町である。この土地の旧制松本高等学校を卒業し、染色家になってから数年に一度は展覧会のために訪れていたという柚木沙弥郎。松本の町は、彼にとってゆかりのある場所の一つだ。

市民の憩いのスポットである、あがたの森公園の一角、ヒマラヤ杉の並木道にあるモダンで瀟洒な建物が、あがたの森文化会館だ。ここは1919年に開校した旧制松本高等学校の跡地。現在は市民の生涯学習に利用され、隣接する旧制高等学校記念館では、全国の旧制高等学校ゆかりの資料を展示している。

この記念館のマスコットである、バンカラ姿の学生のイラストは柚木によるもの。卒業生として、第65回記念祭の際に描いた。また、1階の談話室〈あがたの森ティールーム〉の奥の壁に飾ってある、幅2メートルほどの大きな絵は1993年の作品。描かれているのは下駄を履き、手ぬぐいをぶら下げた威勢の良い学生たちの姿。この場所で、柚木が青春時代を送ったのは今から80年近く前のことだ。

1942年、柚木は旧制松本高等学校を卒業し、東京へ戻る。この時はまだ、「民藝」の薫陶は受けていなかった。ここ松本は、民藝運動

あんみつ

左ページ／「競馬」（制作年不詳）。左／松本民芸館の創業者としても有名な丸山太郎が初代店主を務めた〈ちきりや工藝店〉。
右／昔ながらの蔵造りの建物には国内外の民芸品が並ぶ。

の提唱者である柳宗悦をはじめ、陶芸家の濱田庄司、河井寛次郎、バーナード・リーチ、染色工芸家の芹沢銈介らとゆかりある町であり、市内の中町通り周辺を中心に、今もその面影が色濃く残る。

中でも1947年に創業した、〈ちきりや工藝店〉の存在は大きい。のちに松本民芸館の館長となる店主の丸山太郎は、松本生まれの染色工芸家、三代澤本寿や〈松本民芸家具〉を設立した池田三四郎らと並び、松本の民藝運動に尽力したキーパーソンである。

1970年代頃から、柚木も丸山太郎の誘いで隔年に1回、〈ちきりや工藝店〉の2階で展覧会を開催するようになる。丸山太郎の娘で、現在も店に立つ丸山眞佐子さんは、当時を振り返りこう語る。「柚木さんの展覧会では、型染作品以外に服地や帯が売られていました。柄が独特でとても素敵で、私は好きでよく買っていました。ワンピースやスカートにしたり、厚手のものはコートにしたり、特に女性たちに人気でした」。展覧会を開催する度に着物の帯を購入する母娘など、松本市内には、柚木デザインのアイテムを愛用するファンが多くいたという。

〈ちきりや工藝店〉では、今も昔と変わらず、全国から集められた陶器、磁器の食器やガラス、アジア雑貨、日用品などを取り揃えている。眞佐子さんが奥の部屋を案内してくれ、大きなガラス戸の中にある2点の作品について、「これは柚木さんがご自分で染められたものなんですよ」と教えてくれた。今にも飛び出しそうな、馬に乗った旗手や踊りだしそうな人をモチーフにした、どちらも柚木らしい、ユーモラスでいきいきとした作品。現在は非売品として、鑑賞用に飾られている。そして、元ギャラリーだったという2階を見せ

左上／「床屋」（制作年不詳）。右上／今見ても新しい、柚木のテキスタイル。
左下／インドをテーマに描かれた型染絵シリーズを手にする丸山眞佐子さん。
右下／「踊る人」（制作年不詳）。右ページ／浅間温泉の旅館〈菊之湯〉の館内では、柚木の作品を鑑賞することができる。

大吉祥

左上／老舗の居酒屋〈しづか〉は入ってすぐの大きな暖簾が柚木作品。
右上／〈菊之湯〉のコーナーにあったモダンな水玉模様。左下／柚木が描いた〈松本ホテル花月〉のパンフレット。
右下／〈しづか〉の壁に掛けられていた、ユニークなタッチの「風の又三郎」の型染絵。

左／明治時代の擬洋風建築の校舎で知られる、旧開智小学校が描かれたガラス絵は〈たくま〉の店主の私物。裏側から見た姿が好きだという柚木によって、後ろ姿が描かれる。右／〈たくま〉のメニュー。

てもらうと、目に飛び込んできたのは北欧のテキスタイルのような茶色と白のモダンな柄の大きな布。端に「DESIGNED BY SAMIRO YUNOKI」とあった。たまたま見つけたものだが、当時はこの場所で開かれた展覧会で、柚木の作品を買い求める飲食店や宿のオーナーが数多くいて、今も店の中や館内に飾られていることが多いという。

浅間温泉にある〈菊之湯〉もその一つ。松本市内から車で20分ほどにある旅館は、柚木が展覧会の最終日に宿泊する宿だった。信州の伝統的な本棟造りの館内は、絵画をはじめ古美術などがたくさん飾られており、その中に柚木の作品が6点ほどあった。当時の女将が気に入って、展覧会の際に少しずつ買い求めたものだという。

また、柚木が描いたイラストが、メニューや箸袋に使われているのが、松本市内にあるカレーととんかつの店〈たくま〉。店主の近喰三郎さんはこう話す。「柚木さんの作品が好きで、個人的に作品を購入していたので、思い切って丸山さんにお願いして紹介してもらったんです」。これまでに3回ほど依頼して描いてもらったというメニューは、現在も大事に使われている。

他にも〈松本ホテル花月〉のパンフレットや紙袋、マッチ、居酒屋〈しづか〉の店内にある暖簾や型染絵、菓子店〈開運堂〉のピケニケカステラ、ロールケーキのパッケージなど、松本の町ではさまざまな場所で柚木作品と出合うことができるのが楽しい。

みな口を揃えてこう語る。「おそらく、柚木さんの作品が使われている町は、日本の中で一番多いのではないでしょうか」。民藝の息づかいが残る町で、柚木作品はしっかりと生活に寄り添い、今なお長く愛されている。

ここで出合える、柚木作品　in 松本

01

あがたの森文化会館／旧制高等学校記念館／談話室（あがたの森ティールーム）

あがたの森公園内の一角にある。柚木が描いた絵はがきも販売している。

松本市県 3-1-1
☎ 0263-36-7654（談話室）

02

ちきりや工藝店

昔ながらの建物が並ぶ、中町通りにある老舗民芸店。柚木の絵はがきやプロダクトも取り扱う。

松本市中央 3-4-18
☎ 0263-33-2522

03

松本ホテル花月

明治 20 年創業のモダンなホテル。クラシックな洋館風の建物に松本民芸家具で統一した館内が魅力。

松本市大手 4-8-9
☎ 0263-32-0114

04

しづか

松本城近くにある人気の老舗居酒屋。店内は松本にゆかりある作家の作品や家具で統一されている。

松本市大手 4-10-8
☎ 0263-32-0547

05

開運堂本店・パリの五月

松本のお菓子といえばここ。ロールケーキをはじめ、柚木が手がけるパッケージもお洒落。

松本市中央 2-2-15
☎ 0263-32-0506

06

たくま

松本駅からすぐ、カツカレーの有名店。かつては柚木も度々訪れたとか。マッチもセンスが光る。

松本市中央 1-4-3
☎ 0263-35-6434

07

菊之湯

明治 24 年創業、浅間温泉にある伝統的な本棟造りの宿。館内はさまざまな工芸品を展示している。

松本市浅間温泉 1-29-7
☎ 0263-46-2300

08

松本民芸家具 中央民芸ショールーム

松本を代表する家具メーカー、松本民芸家具を多数揃える。長年ゆかりあり、柚木の展覧会も行う。

松本市中央 3-2-12
☎ 0263-33-5760

CHAPTER-04

COLLECTION

蒐集品と審美眼

RIBBON

リボンはすべてお菓子についていたもの。「塵も積もれば山となるで、長年集めていたらこんなになっちゃった。買ったものは一つもないよ。家の中はごちゃごちゃになるけど、リボンも袋も箱もきれいなものは捨てられないんだ」

TOY CAR

アメリカ、イギリスほか、各国で買った車のおもちゃ。「左から2番目はフランスの蚤の市だったと思う。一番左と左から3番目は東京。お店に飾られていたものを売ってもらったんだ。古いといってもどれも20世紀だよ」

NOTE

さまざまな種類のノートは大きさ、紙質にかかわらずたくさん所有している。「自分で買ったもの、もらったもの、海外のものも多い。家でも旅先でもスケッチしたり、メモしたり、とにかく必要なんだ。説明はいらないよ」

GLASSES

眼鏡はインドで手に入れた。「砂漠を旅行した時に眩しいから買ったんだけど、両端が開くタイプとか、変わった形がたくさんある。ケースも形が面白いから一緒にとってある。これを見ると当時の砂漠の風景を思い出すね」

PAPER

手紙が好きで、カラフルな封筒もたくさん持っている。模様がプリントされた封筒は、インドでもらったもの。「どういう時に使うのか正確にはわからないけど、廃物のような新聞紙にプリントして、なんだか趣があるよね」

POTTERY

上／「船木研児さんのお皿はどれもいい。今は残念ながら陶芸はやっていない。彼が盛んに仕事をしていた頃に手に入れたんだ」。下／「淡路島の陶芸家、藤井佐知さんのスリップウエアはものすごく力があって、元気がでる」

2階のアトリエ。壁いっぱいの本棚の上には、柚木が長年にわたって集めたものが所狭しと並ぶ。

TILE

上／オランダのデルフトタイル。下／グアテマラ（左）とポルトガル（右）のタイル。すべて旅先の古道具屋で購入した。「模様が続いて一つの模様になる、その壁はどんなものだろうと想像するだけで楽しい」

MASK

「左上のサルのお面は日本、その隣の赤いお面はインドネシア、下の3つはメキシコのもの。すべて旅先で手に入れた」。愉快なお面は見つけるとどうしても買ってしまうアイテムの一つ。「旅帰りの荷物はパンパンだよ」

TOY

「ガイコツはメキシコのものかな。あとはインド。最近の子供のおもちゃは、乳幼児という人間のスタートの時点から複雑すぎはしないか。そういうことを見直したほうがいいんじゃないかな」

FLAG

現在も使われている世界共通の船の信号機旗は、よく行くヴィンテージショップで購入。レッド、ネイビー、ホワイトの配色が多いが、それぞれに意味がある。「全部セットになっているのを無理言ってバラしてもらったんだ」

メキシコの土細工みたいな素朴なものが好きだね。
古代の人と今の人と少しも変わらないものがあるんだ。
よくこんなものを作るなあと感心するよ。
たとえ国が貧しかったとしても、楽しいものを作ることができる人たちは素晴らしい。
ぼくは、こういう作品を見た時「楽しくなくちゃウソだ」って悟った。

CLAY FIGURE

赤いきれを纏っただけのシンプルな土細工は、若い頃に訪れたケニアのナイロビで買ったもの。真ん中の2体はペルー製だがメキシコで購入したお気に入り。「古代から作られているものに少しも負けていない」

POTTERY BY CLIVE BOWEN

英国スリップウエアの伝統を受け継ぐ陶芸家クライブ・ボウエンのピッチャーは、その佇まいに惹かれる。「バーナード・リーチの孫弟子に当たるイギリスの作家。どこか人なつっこい親しみやすさがあるんだ」

「箱にしまうとわざわざ見なくなる。だからこうやって全部並べる。

毎日顔を合わせるでしょ、そうすると元気が出るんだ」

PLATE

「左下の接いでいる飾り絵皿は、トランクに入れて旅から持ち帰る途中に割れてしまった。それ以外は、洋画家だった父親から譲り受けたもの。パリに行った際に手に入れたらしい。すべて19世紀のフランスのものだよ」

「すべては直感だよ。ものにも波長があるからね。
自分と合うもの、合わないものがある。
好きなものに理屈はいらないよ」

TERRA COTTA

「これはペルー製、素焼きの教会堂。今はもうこんなに面白いものはないよ。アーティストの手が加わるとつまらなくなるんだ。温かみと肌触り。そして素朴な彩色。東京の店で買ったんだけど、いっぺんで惚れ込んじゃった」

PLAYING CARD

トランプはすべてパリで買った復刻版だが、どこで作られたものかは不明。「右下のカラフルなトランプは20世紀の抽象絵画の先駆者として知られる作家ソニア・ドローネーのもの。色鮮やかで美しい、これが一番のお気に入り」

EXCAVATED ARTIFACTS

真ん中のスプーンはトルコで見つけた。左のペンチや枕木を留める釘は代々木公園で拾ったもの。「これらは発掘品だね。公園にはインクの瓶とか、子どもが忘れたボールとかいいものがたくさんあるよ。拾い魔なんだ（笑）」

「旅先でたまたま出会っただけ。
向こうから目に飛び込んでくるんだから仕方ないよ。
それに民藝館や博物館にあるようなものは自分で持つ必要はない。
見に行けばいいからね」

TOY AIRPLANE

昔から飛行機や船など、大きな乗り物に惹かれる。「だって颯爽としていて格好いいじゃないか。右奥はドイツで買ったんだけど、多分、元々は売りものではなかったと思う。飛行機の風格がちゃんとあって印象が強いね」

BIRD OBJECT

「動物が好き。中でも鳥は見つけると手に取ってしまう。赤いくちばしの白と黒の木彫りの鳥は、ポーランドのこうのとり。子供をくわえているのが面白いよね。一番手前の雀は日本で今も作られているもの。素晴らしい」

3階のアトリエの南の窓際コーナーには、ガラスのコレクション。日が射すと美しく反射する。

POTTERY BY SHOJI HAMADA

「昔、濱田先生の展覧会を手伝った時にお宅に行ったことがあって、その時に『どれか好きなもの持っていっていいよ』と言われて。いろんな茶碗を見せてもらった中でこれが一番良かった。とにかく絵に惹かれた、爽やかで力強いんだ」

GLASS ART BY YOSHIO HAMADA

人間国宝・濱田庄司の四男にして、ガラス作家・濱田能生の作品は、繊細でみずみずしく独自の世界感を持つ。「ガラス作品としてはあまり見たことのない存在感に圧倒されるんだ。数年前に亡くなってしまって残念だね」

ONTA POTTERY

上／大分県日田市の山間の地区で作られる小鹿田焼のすり鉢。下／小鹿田焼の蓋付き小ポット。「塩や砂糖はこういうものに入れている。実際に使っているものが本当の民藝品。だから、作家のものは民藝品とは言わない」

MEXICAN ORNAMENT

「メキシコの“生命の樹”のシリーズみたいだけど、なんだかわからないね。2つとも日本で買ったもの。これらは土産物かもしれないけれど、いきいきしているでしょ。素朴なもの、作為のないもの、そういうのがいい」

OKINAWA POTTERY

沖縄の窯場が那覇市内から現在の読谷村へ移行する前の時代のやちむん。「焼き損ないがたくさんあって、柄も不揃いで、それが逆に良かったんだ。今はロスのないようなやり方をするから、面白いものは生まれにくいね」

POTTERY BY SEIJIRO TAKEUCHI

戦傷で左腕を失った武内晴二郎は「眼で作る」と評された陶芸家。「彼のごく初期の作品。長年、創作の環境に恵まれなかったことから、その思いが爆発した感じだね。特にこれらは力強くてモダンで素晴らしいんだ」

「風土に馴染んだものを見るととても魅力的に見える。
だから旅先で買ったものは、その時の風景を余計に思い出させる」

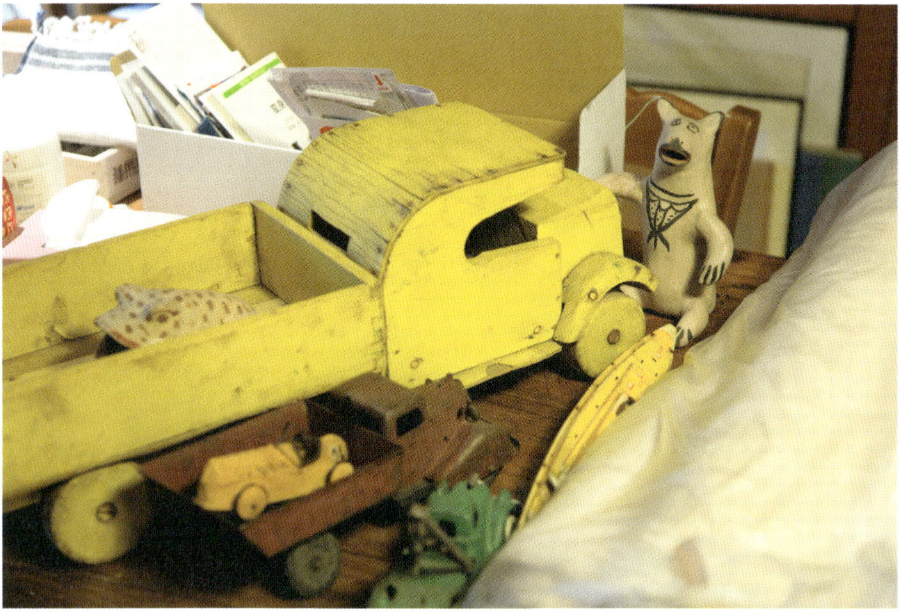

「他人にあれこれ言われたって、自分がいいと思ったら、その感覚や感情を大事にするべきなんだ。
世の中、画一化されすぎてつまらなくなってしまったよね。もっと自分の選択眼に自信を持つこと」

JAPANESE CLAY DOLL

東北の三大土人形、仙台の堤人形、米沢の相良人形と並ぶ花巻の花巻人形。「現地で購入した。特にこのひな人形は表情も個性的。古いものと現代のものと区別がつかないくらい素朴さと美しさがある。それが良さ」

DOLL

世界各国の人形が大集合。ユニークな表情をしたものを見かけると、思わず手に取ってしまう。「国はメキシコ、フランス、ドイツ、インドなんかで買ったけれど、作られた国はわからない。素朴なものほどやっぱり面白いね」

HAMPELMAN

ドイツ語で「手足を上下に動かす人形」の意味を持つハンペルマン。「両サイドの2つは、下の紐を引っ張ると両手両足がバーンと上がる。赤ん坊ってちょっと動いただけでも喜ぶでしょう。最初からハイテクなおもちゃはいらないよ」

TOY SHIP

「右はメキシコ。真ん中の赤と青の煙突があるのは胡椒入れ。手前はパリのおもちゃの専門店で買ったゼンマイで動くタイプ。もう壊れているんだけど、これは商船が華やかだった1930年代の船の面影があるね」

PAPER

カラフルなラッピングペーパーはすべてインドのもの。柄も大きさも紙質もそれぞれ違う。「染色で使う版木を使って、いろいろな紙にプリントしている。一枚一枚もきれいだけど、こうして集めてみると一層美しい」

BOX

「真ん中の４重になっているのはインド。あとは、メキシコ、アメリカ、その他いろいろ。右手前は空き缶を利用して延ばして箱にしたもの。高いものはいくらでもあるけど、金額ではない楽しくなるものを選びたい」

膨大な蒐集品の中から、その日、目についたものを手に取る。ものと向き合う時間を大事にする。

「ものを選ぶということは、自分に自信を持つことなんだ」

左ページ／古今東西、有名無名関係なく、お気に入りが置かれた棚。こまめにディスプレイも変える。
右ページ／3階のアトリエは天井が抜けた開放感のある空間。梁には動物のオブジェが並ぶ。

CHAPTER-05

TRIP TO MORIOKA

光原社を訪ねて～盛岡編

左ページ／盛岡市材木町の一角、北上川沿いにある光原社本店（材木町 2-18）。確かな眼で選ばれた暮らしの道具が揃う。
左／「モーリオ」は本店の向かいにある。右／ 1924 年に刊行された、『注文の多い料理店』初版本。

宮沢賢治の魂と語らう
柚木沙弥郎のイーハトーヴ

東北地方にも柚木沙弥郎ゆかりの地がある。それが岩手県盛岡市だ。岩手県の内陸中心部に位置する盛岡市は、岩手山をはじめとする雄大な山々に囲まれ、市内を三大河川、北上川、雫石川、中津川が流れる、自然環境に恵まれた美しい土地。童話作家で詩人の宮沢賢治が青春時代を過ごした場所でもある。

賢治の代表作の一つ、童話集『注文の多い料理店』を初めて出版したのが盛岡市にある光原社だ。光原社は、1924 年、宮沢賢治と学友だった及川四郎により、童話集の発行とともに出版社として創業した。社名は賢治が5つほど考えた中の一つが選ばれた。やがて、昭和初期から東北地方の民藝調査に訪れていた柳宗悦や濱田庄司、河井寛次郎、芹沢銈介らのサロン的存在として機能するようになる。1960 年代には全国各地の民藝品の販売をスタートし、以来東北地方の民藝店を代表する唯一無二の場所となっている。

及川四郎の孫にあたり、現在光原社の代表を務める及川隆二さんはこう語る。「私は祖父の仕事を間近で見ていましたから、柳宗悦に始まり、いろんな先生の影響を受けています。けれども芹沢、柚木という師弟、両先生の影響は計り知れないですね」。光原社では 1969 年に柚木が型染絵で作った、『注文の多い料理店』の絵はがきを販売している。50 年近く経った今も人気で、ロングセラーを誇る。

KOGENSHA MAP
盛岡市材木町
2-18
光原社
光原社
賢治碑
北上川
1996

左ページ／本店内の壁にあるのは、1996年に柚木が描いた光原社マップ。
左／光原社の代表を務める及川隆二さん。右／普段は開放していない応接室「ゑげれす館」。看板は川上澄生作。

賢治の絵はがきを作ることになり、依頼に向かったのは学生時代の及川さんだった。

「賢治のことを理解して描いてくださる方に頼みたいということで、祖父をはじめ、スタッフみな柚木先生にお願いしたいという結論になったのです。それで祖父から『ご挨拶に行ってこい』と言われて、私が東京の自宅に向かったのが最初でした。快諾いただき商品になってから50年近くずっと販売していて、根強い人気を誇ります」。これを機に、柚木は別館の「モーリオ」の看板や包装紙を手がけるようになり、隔年ごとに展覧会を開くことになる。

師匠、芹沢との関係について、及川さんが印象的だったのは、芹沢が柚木を第一の弟子と特別に認識していたことだ。「柚木先生の展覧会を開催すると、『柚木君の作品はどうかね、客の入りはどうかね』としょっちゅう芹沢先生から連絡が入るんです。いつも気にされていましたね」。さらに、これまでに数百人もの作家と交流してきた及川さんが師弟2人に共通して感じたことは、年を増すごとに世界感が広がっていったことだという。「普通、作家はピークを過ぎると加齢とともに体力、気力が落ちていく。“伸びる”というのは失礼かもしれませんが、どんどん伸び、変化し続ける。特に柚木先生は現在91歳で、それでもなお上昇しているというのは、奇跡的なことだと思います」

これまで光原社では、柚木による染色やガラス絵の手法で賢治に関わる展覧会を何度か開催してきた。ある年、及川さんは柚木から「賢治のふるさとをスケッチしたい」と持ちかけられたという。それは、賢治が架空の理想郷イーハトーヴと名付けた岩手を、賢治から少し距離を置いて、自分の目で感じたまま

光原社
盛岡市材木町　TEL019-622-2891
宮沢賢治作
注文の多い料理店
光原社
柚木沙弥
RESTAURANT

左ページ／柚木が手がけた『注文の多い料理店』の絵はがき。
左上／宮沢賢治の童話集を元に柚木が描いた作品や当時の資料などを扱う「マヂエル館」入り口。
右上／カゴや鉄器を扱う「モーリオ」。左下／宮沢賢治像。右下／香りの良いコーヒーが楽しめる「可否館」。看板は芹沢銈介作。

上／柚木が描いた岩手山。展覧会に出品されたもの。
右ページ／作品と同じ場所から岩手山を眺める。柚木は、盛岡市の春子谷地から眺める岩手山の景色が一番好きだという。

の“イーハトーヴそのもの”を表現したいという思いからだった。

「柚木先生は季節ごとに一週間ほど滞在して、私が県内を案内して回りました。賢治がよく行った場所に行きたいとおっしゃって、あるときは種山ヶ原という記念碑もなければ何もないただの丘に行って寝転んだりして」。柚木は後に種山ヶ原について、「におい立つ自然と人との交感ができる場所・これぞ賢治の詩魂のふるさとと思った」と語っている。

こんなこともあった。「運転手と3人で車で回っていた時、突然、柚木先生が『ここで車を止めてくれ』と言うんです。でも高速道路の上で（笑）。無茶言うなあと思いましたが、遠くに山が見えたんです。後になって、私たちが見る山とは違う、先生が見る山があったんだろうと思いましたね」。スケッチの旅は3年に及んだ。ここで描かれた作品群は1993年の「絵画・讃　いーはとーぶ展」で展示され、絵はすべて完売した。

2005年、光原社では、衰えぬ賢治人気から、外国雑貨を扱っていたマヂエル館を宮沢賢治記念館にした。館内では、リニューアルの際に柚木が手がけた、賢治の童話をベースにした作品を観ることができる。賢治は、貧しく厳しい時代に一筋の光となるべく、童話作品の中にユーモアを求めたといわれる。「賢治に捧ぐ」と書かれたマヂエル館の入り口には、童話『なめとこ山の熊』について語る柚木の言葉があった。

「なめとこ山の小十郎の話は私が最も好きな童話のひとつで、なめとこ山はとりわけ憧景の地です。悲しいけれど嬉しく、つらいけれど滑稽な自然界の輪廻の中に、人も組み込まれていることを一歩離れて見ている賢治の大きさに帰依したい気持ちです」

CHAPTER-06

WORDS

柚木沙弥郎の言葉

LIFE

いつもわくわくしていたい

旅に出た時のように新鮮な五感を持ち、

日常で出会ういろいろなものに興味を持ち、心にとめる。

人間は老若男女みんな、特に苦しい時、

自分を外から見ている自分を持って

面白がることも大切だと思う。

自分で自分の気持ちを高揚さすような余裕が欲しい。

1965
FESTIVAL DEI DUE MONDI
FESTIVAL OF TWO WORLDS

作業は自宅のどこでもやる。写真は2階のアトリエの一角。名前を型染するための下書きや「柚」マークの試作が見られる。

1階では暑中見舞い用の絵はがきを作成中。スイカやフルーツのモチーフが一枚一枚、水彩絵の具によって手描きされる。

WORK

自分の中に湧くイメージを形にして、
自由に発信する

自分の仕事は技術者との協力によることが多い。

そんな工程（プロセス）の中で、作品が洗われ公的なものになる。

型染、リトグラフ、エッチング、鉄工、陶工等、

どんな私の仕事でも専念する技術者は大切なパートナーなのだ。

制作の途中で変更もあり、スリルがあって、

いちばん面白い時だ。

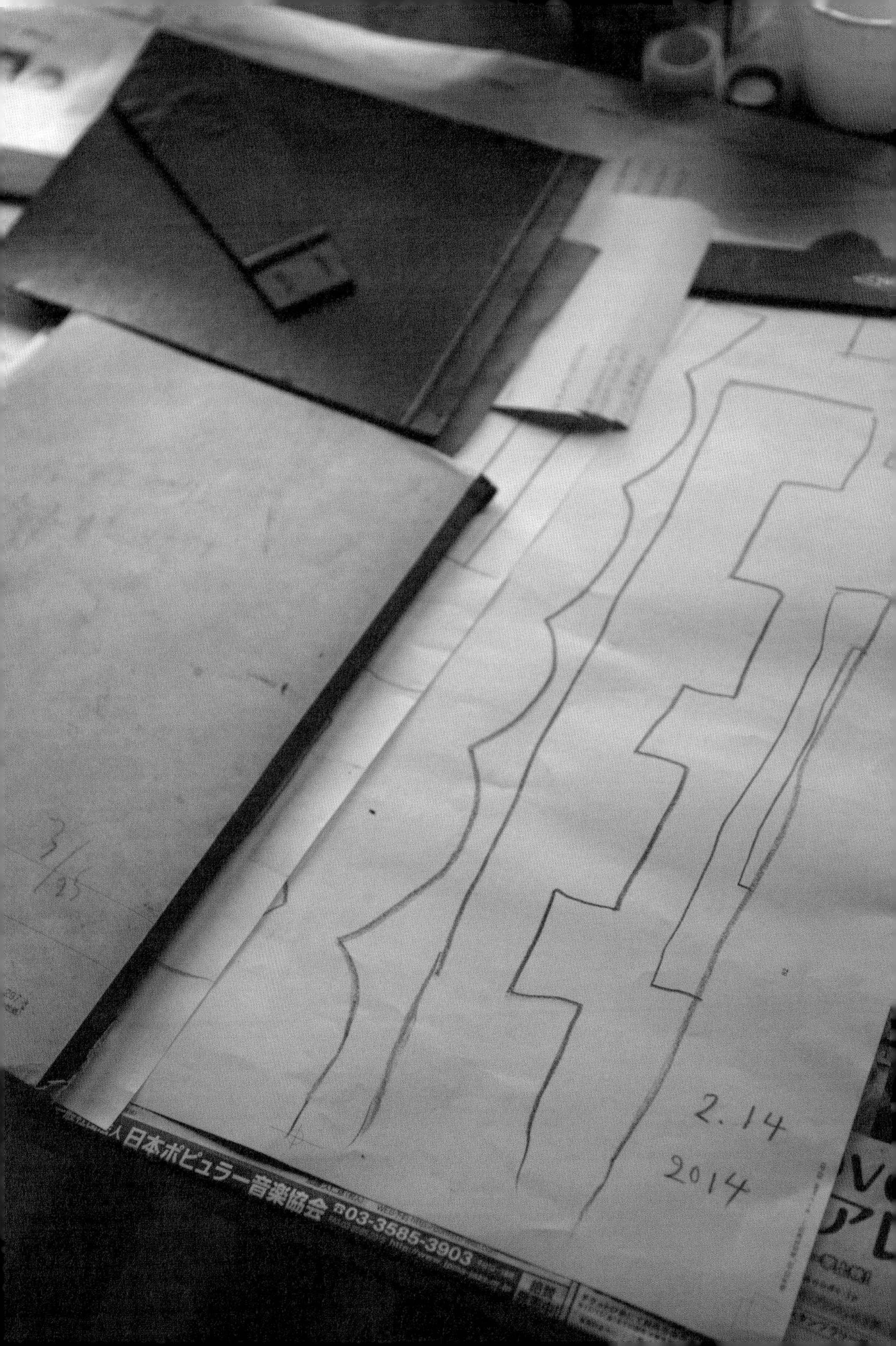
2.14
2014
日本ポピュラー音楽協会
☎03-3585-3903

光のたっぷり差し込む3階のアトリエにて。近年、最もたくさん描かれているモチーフのとうもろこしが数種類置かれていた。

3階のアトリエにある年季の入ったアイロンは、20年以上使っている大切な仕事道具。「妻が大事に使っていたものなんだ」

これまでのスケッチをアーカイブした膨大な量のスクラップブック。
パターンのアイデアやポスター図案、見たもの、思いついたものが描かれる。

THINGS

自分を、元気づけるものを
いつも身の回りに置いておく

私にとって道具、雑貨、器、旅先で求めた

フォークアートなどの「もの」は、

箱や棚にしまっておくものではない。

家の中至るところに並べて毎日眺めていたい。

時には取り上げて、しげしげと見る。そして会話する。

何かものを見つける時には、

朝食のナイフ一本にも思い出がこもる。

ものは家族の一員なのだ。

一番先に目に飛び込んでくるものを選ぶ。直感を信じる。

師匠の芹沢銈介からは「自分がいいと思ったものに本物、偽物はない。いいと思ったその感覚を大事にすべきだ」と教わった。

柚木宛てに、芹沢が旅先の海外から出した絵はがき。これを受け取った柚木は、衝撃を受け、師の後をなぞるように旅に出た。

ART

アートは夢を追って生きる人の表現である。
第一に独創的であること、
そして生きる歓びが伝わってくる作品

アートはわかるものではなく、感じるものなのだ。

例えば初心者の作るものに作者の感じが良く出ていることがある。

技術は幼いけれど、逆に訴えかける力は強い。

反対に技巧ばかりで内容が空っぽの作品はまったく魅力がない。

右ページ／チェコスロヴァキア（現チェコ）出身の彫刻家ズビネック・セカールのブロンズ像。
「私は、このシンプルな形の中に自分が今生きる勇気と力を見いだした。私の希望の星である」

Charlotte Perriand et le Japon

動物から宇宙人のようなものまで、プリミティブで斬新なテラコッタ作品。ユニークなフォルムで今にも動きだしそう。

2階の玄関に飾られている絵は、ひょうひょうとした表情が魅力の自画像。「いい額縁があったので、段ボールに描いてみた」

PARIS

文化と芸術を大切にする、私の憧れの街

パリの旧市街にはある統一があり、落ち着きと静けさがあって美しい。

風格があるのだ。街で働く人たちも自分の仕事に誇りを持ち、

生活を楽しんでいる。パリで私はこんな経験をした。

それは、私も参加したとある出版・印刷国際展のヴェルニサージュ

（初日のレセプション）の夜、一人の少女が私の作品を買ってくれた。

その子のお母さんがお金を払うのだが、

その日、少女の誕生祝いに好きな作品を探しに来たらしい。

少女は迷わずに私の抽象版画を選んだ。他に象や牛の絵もあるのに。

私は大変嬉しく感動した。

パリの子供は街中にある美術館で、日頃から教育を受けているのだろうと思った。

そして、それ以前に一人の人間として独立しているのだ。

人生の転機となった民藝との出合い

私は、戦後すぐに父母の郷里、岡山県の倉敷市に帰り、大原美術館（1930年設立）にわずかな月日だったが就職した。ここは、日本で最初に出来た私立の西洋近代美術館である。私の父も洋画家だったので、自然とコレクションにあるロートレックやモネなどの作品には馴れ親しんでいた。

しかし、それとはまったく別のカテゴリーの発見が、この美術館にいる間に私の中に起こった。「民藝」との出合いである。

当時の館長だった武内潔真は、民藝運動の提唱者・柳宗悦に傾倒していて、柳の著書『工藝の道』をはじめ、柳監修の『工藝』全巻を館の書庫に持っていて、私に自由に読むように勧めてくれたのだった。倉敷では、柳とその盟友、河井寛次郎や濱田庄司、バーナード・リーチらを呼んでよく展覧会をしていた。

日用雑器の中に美しさを発見するという、まったく新しい美の世界は、戦中に育った私にとって、突然の、ものすごい衝撃であった。これまで私は日常生活の中で美について考えたことがあっただろうか——。

なるほど、人々は美術館にやってくる。それは美術館に飾られている有名な画家たちの作品を鑑賞しに、または見物に来るのである。そこを通り抜ければ、後は一目散に土地の名物を食べに出かけるかもしれない。つまり、日常の生活を取り戻すのだ。もちろん私もその中の一人である。

美とは、そういう特別なところでしか接することのできないものだという観念ではなく、実はみな誰もが使っている実用品の中にあるのだという頭の切り替えを、柳によって迫られているのである。そのような目で家に帰って、父母の住む我が家を見ると、戦災を免れた日本家屋の佇まいの美しさに気がついたのだった。

「年を重ねて、今思うこと」

柚木沙弥郎

手仕事に宿る、健やかな美しさ

本来の工芸とは、実用品なのだ。日本に限らず海外においても、昔は実用品であった器、衣装、道具、家具などはもちろん手仕事だった。手仕事で作る実用品は祖先から代々受け継がれるという、しっかりした性格を持っている。風格といってもいい。その無駄のない、健康で雅な佇まいこそ、今でいうデザインの本当の姿ではないだろうか。

作る人、すなわち職人（アルチザン、工人、クラフトマン）は、まず第一に素材（材料）を吟味し、もっともその仕事に適した素材を生かすことを考える。現在はその素材の不足から、あるいは便利さから、例えば大工は初めから切り揃えられた木材しか入手できない場合もある。

かつては木材を目の前にして、いろいろ大工が工夫する余地があった。つまり、図面がなくて、棟梁の頭の中で素材を生かしながら仕事を進めた。図面通りに作るよりも工程の中で変更、改善も可能だった。そこで職人の技術をどのように使うか、自分の技術を高めることはプロとして当然なことなのだが、技術に無理なことを強いないこと、そこには技術の制約があることを承知しなくてはならない。また、同時に技術に溺れたり、他人に媚びたりしてはいけない。つまり不必要に手の込んだものを作ったり、呉服屋さんの好みに合わせた呉服ものを作ったりすることはやめたほうがいいと思う。

沖縄の染め物、紅型の古作品は、いろいろな工程を踏んで制作された、その途中仕事に携わった職人さんたちは全力を仕事に注ぎ込み、しかし明るく丹念に自分の持ち場を果したと聞いている。その結果、完成した作品には、沖縄舞踊のような朗らかさと余裕が感じられる。

さて、職人によって作られ、世に生まれ

出た作品の後半分の生涯は、使う人たちに託される。だから本来、道具と呼ばれるような実用の工芸は家族の一員として幸せな半生を送ったのだ。また、逆に言えば、そんな器、あるいは道具を持ち、生活を送っていられる人は、毎日それを愛で、本物を持つ歓びを満喫している。

サンタフェの地で気づいたこと

ニューメキシコ州のサンタフェに、友人に誘われて旅をした。ここは観光地だけれども原住民が作った教会、土のホテル、住宅など見所のある建物が多い。サンタフェには、「インターナショナル・フォーク・アート・ミュージアム」があって、その一角にアレキサンダー・ジラード（イームズらがいたハーマンミラー社のテキスタイルデザイナー）のコレクションを見せる一棟がある。これはジラードのセンスで統一された楽しいスペースだ。

体育館のような構内はメキシコ調の明るい色彩で満たされている。コレクションも一番多く、そして美しいのはメキシコのおもちゃである。藁、土、針金で作られた人形、汽車、自動車、飛行機、家、教会等、子供の好きそうなものがいっぱいある。私が気に入ったのは、作品をただ並べただけの陳列ではなくて、例えばテーブルを囲んで人形たちが食事をしているシーンやキリストの最後の晩餐のシーン、壁面にいっぱい絵皿を飾った厨房の光景などを再現して展示してあること。

中でも圧巻なのは、教会を中央に捉えたメキシコの広場のジオラマであった。たくさんの人形が教会から出てくる広場は牛やロバまで集まり、マーケットも大賑わい、空には綿の雲に乗って天使が舞い降りて来るといった調子。人形たちのざわめきや楽器の音まで聞こえてくるようなリアリティがあった。私は、

ジラードのコレクションを見て心が躍った。

「なぜこんなに私の心に人形たちは語りかけてくるのだろう……」。人形を作った作り手たちは決してアーティストではない。そして彼らは金持ちではない。しかし、心の中は豊かで日常の生活を楽しく過ごしている。

私はインドでも貧しい人たちが目をキラキラさせて、それなりの楽しさを味わっている光景を目にした。少なくとも時間に追われ、あくせくしてはいないのだ。人間の営みは自然任せなのである。そこには、彼らのいきいきとしたエネルギーが表れていた。それは、我々が失いつつあるものであった……。

私はこの旅に出るまで、自分の仕事について行き詰まりを感じていた。染色の仕事をやめようかと迷っていた。ちょうど年齢は還暦の頃である。このまま染色を続ければ、あとはマンネリになり、自己模倣の繰り返しになるばかりだと。

そんな時、サンタフェに来て気がついた。「何をやってもいいんだ。やるなら嬉しくなくちゃ、つまらない」と。自らの呪縛から解放された瞬間だった。

92年分の思いとこれから

自分は子供の時から、人が楽しくなるようなことをいつも考えていた。例えば面白い話をする、絵を描く、芝居をする、映写会をするなど、たわいもないことばかりだけれど好きだった。母親からはいつも「沙弥郎は調子に乗りすぎる」と叱られた。自分でも反省しすぎていつの間にか、むしろ引きこもりになった（これも困ったことだが）。

生来体が弱く、風邪ばかり引いていたから、両親はそれに心を痛めていたと思う。それも小学校の上級になる頃には丈夫になって、走ったり跳んだりすることは上手かった。た

だし、ゲームは全く向いていなかった。

とにかく軍国少年の時代だったので、日に焼けた頑健な体格が求められていた頃。なんとかしてそんな風貌になりたかった。そして成人するまで不必要にこだわった。だがそれは、まったく無意味な努力であった。

私はこれまでたくさんの、しかも一流の先人たちの指導に巡り合えたことは大変な幸せである。私は思う、よき師とは、後輩に進むべき星を指し示す人物であると。時には深く落ち込むような打撃を与えても……。そんなことは学校教育では望めないことだ。だが、当時の師弟関係には普通のことだった。それは、人間同士のふれあいが至近距離で長時間できたからだと思う。

自分の中にはたくさんの引き出しを持っている。まだ開けてない、知らない引き出しもあるはずだ。火事場の馬鹿力というが、何かの時にその引き出しが開いて、つまりそれまで気がつかなかった能力が自分にはあるということだ。だから、いくら年を重ねて体は老いても、それなりに何かできるはずだと思う。

いつも大切なことは自分の属している、小さくても大きくても組織、あるいは囲いの中に安住しないことだと思う。精神的に独立していなければアートは作れないのだ。

社会は急速に変わる。自分の体も変わっていく。その時の“ステージ”のような、自分の立ち位置を見定めなければ、長く生きることはできないのではないだろうか。

老いて思うことは、自分を支えてもらわなければならない人がたくさん必要なことだ。これは若い時には考えてもいなかった。私は今、日夜自分に接してくれる人々の奉仕の心に感謝している。

最後に私の級友はじめ、私より遥かに優れた同年輩の人たちが、先の戦争で亡くなっている。彼らがやりたくてできなかった分まで、私は自分なりにやり遂げる義務があると思っている。

柚

略　歴

1922年：10月17日、東京市滝野川区（現東京都北区）田端609番地に、洋画家・柚木久太と寿の次男として生まれる。

1935年：立教中学校入学。

1940年：旧制松本高等学校入学。

1942年：東京帝国大学文学部美学美術史学科入学。

1943年：学徒動員。

1945年：終戦。田端の家が焼失したため、父の生家倉敷市玉島に復員。

1946年：従妹・三島敏代と結婚。大原美術館に就職。

1947年：工芸、染色の道に進むため、大原美術館を退職し、東京大学も中退する。日本民藝館に柳宗悦を訪ね芹沢銈介を紹介される。長女啓子生まれる。

1948年：岡山県都窪郡菅生村（現倉敷市）で染色活動を始める。

1949年：最初の作品を、第23回国画会（国展）に出品。以後現在まで毎年出品。

1950年：図画会奨学賞を受賞。女子美術大学工芸科専任講師に就任。夏期講習で芹沢銈介の助手として、講習生たちとともに、芹沢から型染について習うことができた。芹沢銈介主宰の染色家集団・萌木会（1946年創立）に入会。秋から渋谷で家族とともに生活する。長男廉平生まれる。

1953年：国画会会員となる。

1954年：染色のための仕事場を建築。

1955年：注染のための機具一式が建津田元次郎によって設置され、広巾綿布の注染を本格的に開始。7月、東京銀座、たくみ工芸展画廊で、初めて注染による個展を開催。次女立子誕生。

1956年：中込理晴が助手として加わり今日に至る。

1957年：ブリュッセル万国博覧会で、型染壁紙が銅賞を受賞。

1959年：6月、東京丸ビル内、中央公論社画廊で個展開催。
10月、東京銀座、小松名店街ギャラリーで長沼孝一・四本貴資・柚木沙弥郎三人展を開催。

1961年：柳宗悦逝去。
10月、東京、銀座画廊で個展を開催。

1963年：建築家吉原慎一郎の依頼により、東京、平河町の全共連ビル内役員室ロビーにタピスリー制作。

1966年：吉原慎一郎の依頼により、横浜市、神奈川県電業会館講堂に緞帳を制作。

1967年：2ヵ月間ヨーロッパ各国歴訪の旅に出る。殊にイスタンブールのアヤ・ソフィア大聖堂、バルセロナのカタルーニャ美術館のロマネスク壁画群、ラヴェンナのモザイクなどに深い感銘をうける。岡山、天満屋百貨店画廊で、個展をこの年よりしばしば開催。

1969年：宮沢賢治の童話集『注文の多い料理店』の絵はがきを盛岡、光原社の依頼で制作。

1972年：女子美術大学教授に就任。

1974年：松本、ちきりや工藝店と大阪、三彩工芸で、この年より隔年で個展開催。三彩工芸店主・藤本均の紹介で、夜具地専門店和田哲から、柚木デザインの夜具地が工場生産される。

1980年：東京国立近代美術館の「日本の型染」展に招待出品。

1982年：10月、東京、田中八重洲画廊で個展を開催。テキスタイルのコレクターで旅行家の岩立広子の教示により、インドのラジャスタン、グジャラート地方の村々を訪ねる旅を この年を中心に4回行う。この旅は、創作の大きな原動力になった。

1983年：福井県立美術館の「現代日本の工芸展その歩みと展開」展に招待出品。
8月、東京、アトリエMMGで初めてリトグラフィを制作。

1984年：芹沢銈介逝去。
『柚木沙弥郎作品集』（用美社）を出版。

1986年：画集『宮澤賢治遠景』『旅の歓び』（ともに用美社）を出版。
9月、東京渋谷のCRAFT SPACE わ で「旅の歓び」展を開催。
アメリカ、ニューメキシコ州のサンタフェにあるアレキサンダー・ジラード（テキスタイルデザイナー）のコレクションを見る。世界各国、特にメキシコの民族による玩具に魅せられる。

1987年：女子美術大学・女子美術短期大学の学長に就任する。

1989年：東京国立近代美術館の「型染タピスリー」展に招待出品。

1990年：第1回宮沢賢治賞を受賞。

1991年：3月、女子美術大学を退職。女子美画廊で「退官記念」展を開催。川口市民ホールにタピスリー「波動」を制作。
4月、東京、有楽町阪急百貨店で「柚木沙弥郎グラフィック」展を開催。型染ポスターの部分、型染絵の下絵等を拡大印刷し、手彩色する 。

1992年：3月、東京、Gallery Hiro & Yで型染画展「童女の四季」を開催。
10月、CRAFT SPACE わ で「絵と染の対話」展を開催。韓国のオンドル紙に描いた絵と45cm巾の木綿布に型染した作品による。雑誌『婦人之友』の表紙を1年間担当する。

1993年：福島県立美術館の「現代の染織」展に招待出品。東京、渋谷区立松濤美術館主催による個展を開催。
9月、盛岡、光原社いーはとーぶ館で「絵画・讃　いーはとーぶ展」を開催。

1994年：東京国立近代美術館の「現代の型染」展に招待出品。アメリカ、フィラデルフィア美術館企画「日本のデザイン1950-1994」展に招待出品。トリエンナーレ・ディ・ミラノ（イタリア）、デユッセルドルフ市立美術館（ドイツ）、ポンピドゥーセンター（フランス）、サントリー美術館（日本）を巡回する 。
初めての絵本『魔法のことば』をCRAFT SPACE わ より出版。
4月、東京渋谷、Galerie412で個展を開催。

1995年：10月、東京新宿、備後屋ギャラリー華で「染絵・ガラス絵」展を開催。

1996年：絵本『魔法のことば』が、La Fondation Espace Enfantsの〈子供の宇宙〉国際図書賞を受賞。
5月、東京、ギャルリーMMGでモノタイプ版画展を開催。
11月、CRAFT SPACEわで「ガラス絵 あるひどこかで」展を開催。

1998年：3月、フランス、パリの「SAGA98」展に、モノタイプとゴーフラージュを出品。
5月、Gallery Hiro & Yで「めぐる四季・型染」展を開催。
6月、ギャルリーMMGで「SAGA98」展と同構成の個展を開催。
11月、東京渋谷、べにや民芸店で「型染ポスター」展を開催。

1999年：絵本『つきよのおんがくかい』(文・山下洋輔)を出版(福音館書店)。
9月、光原社いーはとーぶ館で「ガラス絵展II」を開催。
11月、CRAFT SPACEわで「板絵展 え・がく」を開催。

2000年：絵本『そしたら そしたら』(文・谷川俊太郎)を出版(福音館書店)。『YUNOKI 板絵とドローイング』を出版(CRAFT SPACEわ)。

2001年：『YUNOKI ガラス絵 ともよう』を出版(CRAFT SPACEわ)。
10月、イギリス、ウィンダミア湖水地方のブラックウェル・アーティスティック・ハウスの招待で「国展工芸」展が企画され、会員有志がレクチュアおよびワークショップに参加。

2002年：妻敏代死去。
1月、ギャルリーMMGで柚木沙弥郎・瀬本容子二人展「夢見る手」を開催。モノタイプ、ゴーフラージュによるギニョールを出品。
10－12月、熊本県小国町、坂本善三美術館で個展を開催。初期から近作までの主要な型染作品とモノタイプ版画を出品。
10月、光原社いーはとーぶ館で板絵展を開催する。
岡山倉敷中央病院小児科待合室にタピスリー「サーカス」を制作。

2003年：3月初め、ディジョン、フラヴィニー、ヴェズレー、オータンとロマネスクの寺院を益田祐作と巡り、感動する。
3月、パリ国際版画展(Salon International de l'Estampe)にモノタイプ、リノグラヴュール、リトグラフィを出品。
4月、ギャルリーMMGの展覧会企画のため、クラコフの画家ヤツェック・スロカ(Jacek Sroka)のアトリエを訪ねる益田祐作に同行し、ワルシャワの街やユダヤ人街、美術館を巡る。柚木はスロカの油絵小品を求め、特にイェージェ・パネック(Jerzy Paneks 1918-2001)の『ダンテ』(1965)の木版の線に魅せられる。それは、その後の謄写版作品に認められる。
8月、日本民藝夏期学校・横浜会場で「民藝と私」と題して講演を行う。

2004年：1月、ギャルリーMMGでモノタイプ、リトグラフィ、謄写版、紙の版による個展を開催。
4月、東京渋谷、ギャラリーTOMで個展を開催。村山亜土による絵本『トコとグーグーとキキ』(福音館書店)出版を記念して、絵本のなかのキャラクターを立体造形で表現し、背景を表す型染布等で会場を構成。
絵本『てんきよほう かぞえうた』を出版。(福音館書店)
『柚木沙弥郎作品集2004』を出版(用美社)

2005年：4月、CRAFT SPACEわで「原点－紙にもようを染める」展を開催。
5月、マイルズ・ドッドとセント・アイヴィス（イギリス）を旅行。バーナード・リーチ窯を訪ねる。
11月、ギャラリーTOMで個展。村山亜土の文章によせる水彩画連作「雉女房」・布コラージュ「夜の絵」のほか、テラコッタ、鉄のオブジェなどを発表。

2006年：3月、東京港区、ジェムアートで、陶芸家・吉田善彦、漆芸家・手塚利明と共作した「ひな人形」展を開催。
4月、光原社内に、秋山正の設計により「賢治に捧ぐ柚木沙弥郎 新マヂエル館」開館。型染絵などを常陳。
7月、秋田市立千秋美術館で「柚木沙弥郎―つくり、たのしく生きる」展を開催。

2007年：1月、アトリエMMGでカーボランダム版画を制作。
3月、MMG工房終業。
4月、MMGでの最後の制作となったカーボランダム版画展「時の記憶」を、CRAFT SPACE わ で開催。
11月、ギャラリーTOMで個展を開催。

2008年：1月、東京、ギャラリーA/Nで、「柚木沙弥郎 雛」展を開催。
2月、京都、アサヒビール大山崎山荘美術館で「柚木沙弥郎 染の仕事」展を開催。
5月、岡山県立美術館で「柚木沙弥郎－わきあがる色と形」展を開催。
10月、ギャラリーTOMの企画によってパリのGalerie de l'Europeで個展「Les Domaines Flottants」を開催。同画廊で2009年、2010年にも個展を開催。

2011年：10月、ギャラリーTOMで「Yunoki Samiro 2011」を開催。
11月、CRAFT SPACE わ で「ガラス絵展 ヨーロッパの古い額を使って」を開催。

2012年：4月、神奈川県立近代美術館 鎌倉別館で「柚木沙弥郎」展（村山亜土作『夜の絵』とともに）開催。

2013年：1月－3月、東京自由ヶ丘、岩立フォークテキスタイルミュージアムで「柚木沙弥郎の世界」展開催。
1月、『夢みる手－柚木沙弥郎「版」の仕事』を出版（アーツアンドクラフツ）
4月、銀座三越8Fギャラリーで「柚木沙弥郎の染布（produced by CRAFT SPACE わ）」展開催。
5月－8月、世田谷美術館で「柚木沙弥郎 いのちの旗じるし」展開催。

2014年：2月、イギリスのMichaelhouseで「HUMOR in COLOUR Textures and textiles by Yunoki Samiro」展開催。
3月－4月、イデーショップ日本橋で、柚木沙弥郎新作展「布と暮らす」を開催。
4月－5月、CRAFT SPACE わで「柚木沙弥郎展　身辺雑話」開催。
8月－9月、松本民芸家具 中央民芸ショールームで「柚木沙弥郎の染め布」展開催。
10月、ヨーロッパ最大の東洋美術コレクションを誇る「フランス国立ギメ東洋美術館」に作品80点が収蔵。10月より同館にて個展『La danse des formes - Textiles de Samiro Yunoki』、岩手県立美術館にて特別展示「柚木沙弥郎 いのちの旗じるし」を開催。

柚木沙弥郎 92年分の色とかたち

2014年10月25日 初版第1刷発行
2021年 4月25日 初版第5刷発行

著　者：柚木沙弥郎

発行者：久世利郎

発行所：グラフィック社
〒102-0073
東京都千代田区九段北1-14-17
tel.03-3263-4318（代表） 03-3263-4579（編集）
fax.03-3263-5297
郵便振替　00130-6-114345
http://www.graphicsha.co.jp/

印刷・製本：図書印刷株式会社

ブックデザイン：名久井直子

写　真：木寺紀雄

編　集：柴田隆寛、熱田千鶴（株式会社イーター）

担　当：津田淳子（グラフィック社）

協　力：岩手県立美術館／世田谷美術館／ギャラリーTOM
株式会社光原社／株式会社イデー／CRAFT SPACE わ／備後屋

定価はカバーに表示してあります。
乱丁・落丁本は、小社業務部宛にお送りください。小社送料負担にてお取り替え致します。
著作権法上、本書掲載の写真・図・文の無断転載・借用・複製は禁じられています。
本書のコピー、スキャン、デジタル化等の無断複製は著作権法上の例外を除き禁じられています。
本書を代行業者等の第三者に依頼してスキャンやデジタル化することは、
たとえ個人や家庭内での利用であっても著作権法上認められておりません。

ISBN978-4-7661-2714-0
Printed in Japan